这样做，成为社交高手

罗利娜◎著　　乐　活　李一婧◎绘

北京科学技术出版社
100 层 童 书 馆

图书在版编目（CIP）数据

这样做，成为社交高手 / 罗利娜著；乐活，李一婧绘 . —北京：北京科学技术出版社，2023.11（2023.11重印）
ISBN 978-7-5714-3192-1

Ⅰ . ①这… Ⅱ . ①罗… ②乐… ③李… Ⅲ . ①漫画 – 连环画 – 中国 – 现代 Ⅳ . ① J228.4

中国国家版本馆 CIP 数据核字 (2023) 第 150305 号

策划编辑：阎泽群
责任编辑：付改兰
图文制作：天露霖文化
责任印制：李 茗
出 版 人：曾庆宇
出版发行：北京科学技术出版社
社　　址：北京西直门南大街 16 号
邮政编码：100035
电　　话：0086-10-66135495（总编室） 0086-10-66113227（发行部）
网　　址：www.bkydw.cn
印　　刷：北京宝隆世纪印刷有限公司
开　　本：710 mm×1000 mm 1/16
字　　数：106 千字
印　　张：8.5
版　　次：2023 年 11 月第 1 版
印　　次：2023 年 11 月第 2 次印刷
ISBN 978-7-5714-3192-1

定　　价：47.50 元

目录

如何认识新朋友?

嘿嘿，要跟阿杰一起露营了!

阿义，我生病了，去不了营地，你玩得开心点儿。

妈妈，阿杰去不了了，只剩下我一个人，我也不想去了。

去认识些新朋友也不错呀!

认识新朋友哪是那么容易的事啊。

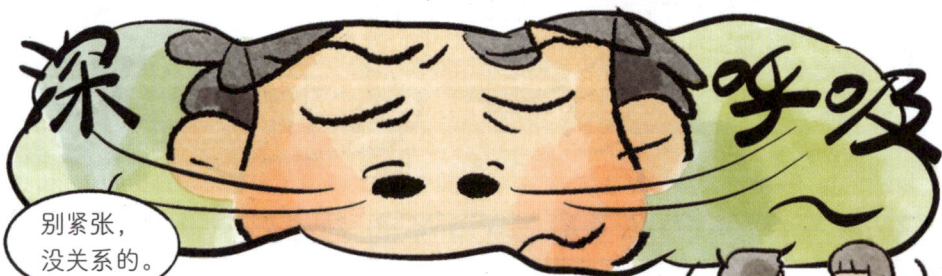

別紧张，
没关系的。

结交朋友的第一步是勇敢开启对话。如果你只是在角落等待被人发现，那可能你需要等待很长一段时间，也可能直到活动结束都没有人注意到你。开启对话之前，先来"热身"吧！

1. 看看谁可能更友好。眼睛是心灵的窗户，不妨观察对方的眼神。
2. 听听小伙伴正在聊什么。
3. 寻找你与小伙伴的共同点。
4. 感到紧张的话，深呼吸，让自己平静下来。

开口说你好，一点儿也不难！

如何增加互动？多用疑问句

你有没有和朋友一起玩过传球游戏？当你把一个球抛给朋友的时候，他要先接住，再把球抛给你，这样你们才能完成传球。不然，这个游戏就中断了。沟通也一样。有来有往是有效沟通的重要特征。

要想在沟通中抛出好球，诀窍之一就是多用疑问句。善用疑问句，可以让互动多起来，还能打开新话题，增进交谈双方对彼此的理解。

✔	✘
我觉得皮划艇是全世界最酷的运动。你来到这里，也是因为喜欢皮划艇吗？	我喜欢足球，不喜欢皮划艇。
疑问句有助于互动。	陈述句对回应的约束比较小。

来感受一下疑问句的魅力吧。

——"我觉得皮划艇是全世界最酷的运动。你来到这里，也是因为喜欢皮划艇吗？"

——"我更喜欢足球，是我妈妈非让我来的。你平时踢足球吗？"

——"足球确实非常酷，我喜欢看球赛，但不会踢球。你喜欢踢什么位置呢？"

——"我是守门员。有空我教你踢球呀？"

多用疑问句可以增加互动。

谈论有趣的话题

结识新朋友后，我们会和新朋友有很多交流和互动。这个时候，我们可以尝试和朋友讨论更多话题，或者挖掘共同的兴趣点，从而使交流增多，友情更牢固。下面这些做法可供参考。

分享自己的喜好

1. 看过的书；
2. 喜欢玩的游戏；
3. 喜欢的美食；
4. 喜欢的体育运动。

询问对方的经历

1. 你喜欢看什么电影？
2. 你喜欢读哪类书？
3. 你的兴趣爱好是什么？
4. 你最喜欢哪个科目？

5. 你喜欢玩什么游戏？
6. 你和家人、朋友间发生过哪些有趣的事情？

关心、称赞和请教

除了聊有趣的话题，对新朋友表示关心、称赞新朋友也能迅速拉近我们与新朋友之间的距离，这体现了我们对对方的关注。此外，虚心请教其实也是一种赞美。

关心

"今天天气好热。"

"是啊，我全身都湿透了。"

"你已经满头大汗了，那边有阴凉的地方，咱们去那边玩吧。"

称赞

"你今天穿的衣服很好看。"

"谢谢你。"

"这件衣服看起来很舒服，款式也很适合你。"

"我也这么觉得，这是我妈妈给我买的新衣服，她说今天穿很合适。"

"这个任务好难，不知道从哪里开始动手才好，你有没有什么想法？"

"我也觉得挺难的，感觉可以试试从这个角度想想办法……"

"我觉得挺有道理的，或者也可以在这个基础上……"

请教

多多帮助别人

在朋友需要的时候及时提供帮助，也是增进友谊的好方法。每个人在遇到困难时，都希望得到他人的帮助。当我们伸出援手时，对方对我们的好感便会瞬间提升，交谈可能因此而更加融洽。

男孩：你也是来参加皮划艇训练营的吗？你手里的东西看起来很重，我帮你拿一些吧。

阿义：太谢谢你啦！

男孩：没事，举手之劳。你怎么带这么多东西来营地呀？

阿义：这些都是我给大家带的好吃的。

男孩：原来如此，你真热心。很高兴认识你，我叫吴磊。

但是，如果有陌生的大人向你求助，一定要当心。因为成年人有困难往往也会求助于成年人，而不会找小孩帮忙。碰到让你带路的或称身体不舒服需要你帮助的成年人，你就更需要提高警惕了。一般情况下，成年人不会让小孩带路，也不会让陌生小孩照顾自己。

被拒绝不是我们的错

如果有人并不想跟我们做朋友，拒绝了我们的好意，那可能是因为下面几个原因。

对方比较害羞，性格比较内向，不好意思表达自己的心意。

对方已经拥有足够多的朋友，暂时不想结交新朋友。

对方不是友善的人。遇到这种情况，我们需要思考：我们想跟对我们不友善的人做朋友吗？

不要因为别人的拒绝而沮丧。要记住，我们不会只有一个朋友，也不会跟所有人成为朋友。只要保持友善，总有一天，我们会结识真心待我们的朋友，并拥有好朋友。

这一天，阿义跟吴磊玩得很开心。

9

其实，结交新朋友就是这么简单。

别害怕接触和自己不一样的人

问谁借好呢……

要不问问他？

哼！

他看上去好凶，我不敢。

同学，我们是隔壁班的，能向你借一下英语书吗？

可以啊，拿去吧。

谢谢！

不知道为什么，我一看见他就觉得好害怕……但是他好像也挺友善的。

有些人给人的第一印象是很难接近，但我们真正接触了他们就会发现并不是那么回事儿，这是为什么呢？

磨合效应

新机器经过一段时间的使用，摩擦面上的加工痕迹磨光之后，反而变得更加密合。人与人之间的相处也是如此。这就是"磨合效应"。刚开始，两个不熟悉的人不知道彼此的性格特点，相处起来难免会有些小摩擦，但熟悉后，相处就会融洽起来。

所以，别害怕接触和自己不一样的人。

13

每个人都不一样

每一片雪花都是独一无二的，每一片树叶和其他树叶也不相同，人与人之间更是千差万别。自然界的事物因多样而美丽，我们人类社会也是如此。别害怕接触和自己不一样的人，因为每个人都有值得学习的地方。

人与人之间的一些差异是外显的。这主要指外貌差异，比如五官不一样，发型不一样，甚至连皮肤颜色都不一样；有些人高一点儿，有些人矮一点儿，有些人瘦一点儿，有些人壮一点儿。外貌决定了一个人给他人留下的第一印象。

人与人之间的另一些差异是内隐的，比如性格不一样，文化背景不一样，家庭环境不一样；有些人喜欢一个人安安静静地看书，有些人则喜欢和同学讨论；有些人比较幽默，有些人比较严肃。这些差异需要我们在相处的过程中慢慢感受。

如何跟与自己不一样的人相处?

　　每个人都有自己的特点，这些特点只要没有伤害到其他人，就应该被尊重。多跟不同的人相处，我们就会发现，世界是如此多彩。

　　想一想，遇到下面这些人，你应该怎么和他们相处呢?

遇到外国朋友

　　除了外貌之外，不同国家的孩子在语言和文化上也有不同。第一次和外国小朋友聊天，你可以和他们聊聊各自国家的传统节日。

安娜，过两天就是中秋节了，你听说过中秋节吗?

中秋节? 好有趣的名字!

遇到少数民族朋友

　　和少数民族的孩子交朋友时，要提前了解他们的文化，尊重他们的习俗。

遇到身体有障碍的人

身体有障碍的人不仅仅需要帮助，更需要被尊重。用心体会他们的需求，真诚地帮助他们，可以令他们更快乐。

遇到身材特殊的人

因为太胖或太矮而被讨厌、嫌弃、孤立的感觉真的太让人难受了。千万不要嘲笑别人的身材！

好想加入游戏啊

今天没有我认识的人在，可我好想跟他们一起玩游戏啊，我要怎样才能加入呢？

如何加入他人的游戏?

　　有时候，加入他人的游戏不是一件容易的事情。我们可能会纠结，不知道怎样做才算恰当。试试下面这些方法吧。

这里加点儿水会更好。

好主意，一起吧。

对于有些游戏，我们可以先在一旁观察，找到话题或提出建议后，友善询问对方自己是否可以加入。

对于有些轮流玩的游戏，我们可以直接排队加入。

对于有些游戏，我们可以等待机会。

主动发起游戏

我们可以主动发起一些游戏，邀请他人参与。

平时，我们可以准备一些小卡片，上面写一些提示。当我们想加入游戏时，可以从里面抽出一张，然后用这些卡片上的话打开话题。

自己人效应

　　我们会把与我们有共同社交圈或者共同爱好的人当作"自己人"，觉得跟"自己人"一起玩更开心、更有归属感。心理学上，类似的现象被称为自己人效应。那么，在新团队中，如何快速让其他成员变成"自己人"呢？这里有一些小技巧。

　　我们可以对正在进行的活动表现出兴趣，这样可以快速拉近与其他成员间的距离。

　　我们也可以赞美其他成员，让他们感到自己被认同。

　　除了语言，我们还可以用一些肢体动作，最大程度地表现出自己的善意。试着在交流中用上下面这些动作吧！

表达祝贺

表达兴趣

表达赞美

表达欢迎

表达鼓励

表达积极

玩游戏的注意事项

玩游戏的时候，要注意什么呢？这里有些小建议。

1 表达尊重

加入了他人的游戏，就要尊重他人制订的游戏规则。如果有不同看法，要礼貌地同对方商量，不能总想着指挥他人。

2 推己及人

你刚刚加入新游戏的时候，一定也很紧张吧？所以，对新加入的小伙伴，特别是那些比较害羞的小伙伴，要多多鼓励！

3 表达真实感受

如果在游戏中受到了不公平对待，要勇敢地把自己的感受表达出来，不需要忍气吞声。

尊重他人

和小伙伴一起玩游戏时，我们要遵守规则、尊重他人。

遇到下面这些行为，你应该怎么做呢？试着连一连吧！（答案见左下角）

你太弱了，瘦竹竿！

1 给别人起带有贬低意味的外号。

A 及时制止捉弄行为，并提醒被捉弄的人。

2 抢别人的玩具。

B 制止对方，告诉大家这很危险。

3 提议做危险的事情。

这个外号有点儿不礼貌。

C 礼貌制止并拒绝用这个外号称呼被起外号的人。

4 捉弄别人。

D 制止对方，告诉对方这不是他的东西。

1-C　2-D　3-B　4-A

到底应该和什么样的人做朋友？

24

只有你自己？怎么没看见阿杰和阿雄？

这是我新交的朋友，他们可厉害了！

一个什么都懂，比阿杰懂的都多；一个是运动健将，比阿雄强多了！

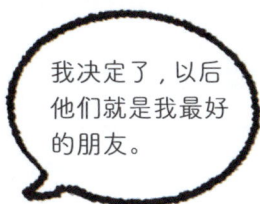
我决定了，以后他们就是我最好的朋友。

阿嚏！

光环效应

为什么阿义一接触到杰杰和雄雄，就忍不住想跟对方做朋友呢？这就是光环效应的魔力。一个人如果有某种突出的优点，比如知道的特别多，或者特别擅长运动，就容易给我们留下好印象，仿佛他被光环所笼罩。而这种"光环"，可能会让我们以偏概全地认为，对方的一切都是好的。

名人效应是一种典型的光环效应。

连影帝都说这个好，错不了！

我们周末一起玩吧？

不好意思，我周末要去看外婆。

还是跟杰杰和雄雄玩更酷。

我们可以利用光环效应，通过展示自己的优点，让自己更受欢迎。但是，我们也要警惕光环效应的消极影响，防止对他人盲目崇拜，甚至被蒙蔽，分不清什么是真正的友情。

我们交朋友时如果只看重对方身上的光环，就可能忽视友情中真正重要的东西。那么，友情中真正重要的是什么呢？

1 促进彼此的成长

好朋友应该是互相激励、共同进步的，而低质量的友情会阻碍我们前进。

阿义：今天我要复习功课了……

杰杰：别做书呆子了，一起玩吧。

2 获得彼此的信任

你有没有过这样的朋友？不管你请求他做什么事情，他都喜欢说"包在我身上"，可结果他一转头就忘了，根本没有去做。这样的朋友不值得信任。

雄雄：你跟我学投篮，包你百发百中！

阿义：可是……你一直不教我啊……

雄雄：下次吧，下次一定教你！

3 在乎彼此的感受

无论错误是否与他有关，他总是第一时间把责任推给朋友，这样的人不在乎朋友的感受。

阿义：今天不能和你一起玩了，我这次考砸了……

杰杰：你自己笨，别赖在我身上。

如何交到真正的好朋友?

在与人交往的过程中,我们该如何利用光环效应呢?

1. 如果结识了很厉害的人,我们当然要学习他的优点,但是不要被他的光环影响,仅仅因为对方厉害就盲目地把对方看作最好的朋友、听从对方的一切安排。

2. 如果结识了缺点特别明显的人,也不要因为对方的一个缺点就否定他所有的言行。

3. 利用光环效应,勇敢地展示自己的优点和长处,让更多的人了解我们、喜欢我们。

朋友间最重要的是彼此真心相待,我们要听从自己内心的声音,不要把交到厉害的朋友当作炫耀的筹码。只有和真正的朋友在一起,才能获得真正的快乐。

朋友越多越好吗?

回家后……

30

鸟笼效应

詹姆斯和卡尔森是好朋友。有一天，詹姆斯对卡尔森说："我会让你养一只鸟。"卡尔森不信，因为他从没想过要养鸟。几天后，詹姆斯送了卡尔森一只精致的鸟笼。卡尔森把它放在家里，但还是坚持说："就算有鸟笼我也不会养鸟。"

可是后来，每个到卡尔森家拜访的人都会问他："鸟笼里怎么没有鸟？鸟是死了吗？"卡尔森被问得太烦了，最后真的买了一只鸟。

这就是鸟笼效应，它指的是一个人偶然间获得了一样不太需要的东西之后，会不自觉地想去获得一些与之相关的东西，即使他并不需要这些东西。

阿义遇到的情况就是这样，他偶然间认识的新朋友就像空鸟笼，尽管他们的活动与阿义的时间安排有冲突，可是为了和新朋友这个"空鸟笼"相匹配，阿义还是不自觉地去迎合新朋友。新朋友越多，他就越需要投入精力去迎合，最后他就被这个"空鸟笼"困住了。

鸟笼效应告诉我们，不是所有有价值的东西都是我们需要的，如果我们被这些东西左右，就可能失去自我。

警惕过度社交

俗话说"多个朋友多条路",很多人认为朋友越多越好。你赞成这种观点吗?

的确,一个人朋友越多,有困难时,获得帮助的可能性也会越大。不过几十年前,一位人类学家经过计算,得出的结论是:人类智力允许每个人拥有稳定社交网络的人数是148人。人数太多,交往就会变成负担。

也许你会说,现在互联网发达了,我们可以用手机和更多朋友保持联系。但是别忘了,我们的一天依然只有24小时,而且我们的精力不仅没有因为互联网的发达而变得更旺盛,反而因为资讯太多而被消耗。所以,如果发觉自己把所有时间和精力都用在了社交上,并且正常的学习和生活节奏受到了影响,那么你就要警惕自己是否陷入了过度社交。

况且,友情需要时间和真心来维系。一碗饭分给10个人,10个人都吃不饱;只给一个人,那个人就会吃得很满足。同样的道理,如果你把时间和精力平分给很多朋友,你们就不能充分了解彼此、增进友情。而即使朋友数量不多,只要你用心维护,这些朋友也会用同等的友情回馈你,在你难过的时候开解你,在你遇到困难的时候想办法帮助你。

朋友,重要的是质量,而非数量。

每一种关系都有价值

　　不要过度社交，并不是不要结交新朋友。再好的朋友也可能随着时间的推移逐渐与我们疏远，而新认识的朋友也可能在未来变成我们的至交。我们要警惕的是那些为了交朋友而交朋友，甚至牺牲自己的正常生活，或者因此忽略了真正的好朋友的行为。

　　朋友对我们来说当然重要，但是，除了朋友关系，人与人之间还有很多其他关系，比如亲人关系、同学关系、邻居关系等。每一种关系都有价值，都值得我们维护。我们要做的，不是交很多很多朋友，用朋友填满自己的生活，而是用心结交真正与自己心灵契合的朋友，让友情更长久。

妈妈昨天给我买了拼插积木，这周六你来我家和我一起拼，好不好？

跟朋友一起做些新鲜事

阿雄，来打篮球啦！

啊？说好今天踢足球的。

我刚学会运球，再陪我练一练吧！

但是我们已经打了好几天篮球了。

……

要是你不陪我打篮球了，我们以后就不是朋友了！

……

边际递减效应

　　阿雄明明一直很爱打篮球，为什么今天突然不想打篮球而想踢足球了呢？这是因为我们对熟悉的事物，心理上会有一种边际递减效应。简单来说，就是一种事物或行为重复的次数越多，它所带来的积极影响会越来越小。

　　举个例子。妈妈做了一样你非常喜欢的新菜式，你第一次吃的时候感觉非常幸福。可是如果连续10天都给你吃这道菜，你会觉得十分厌恶，这就是边际递减效应。

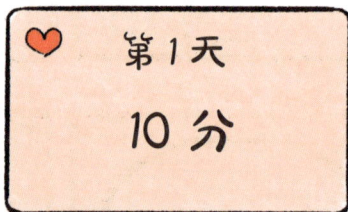

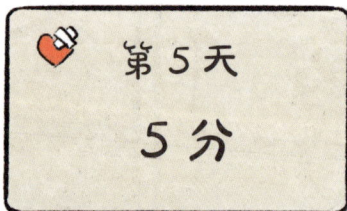

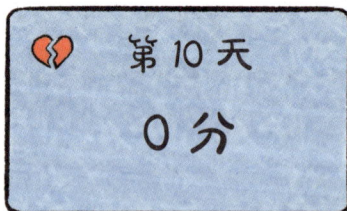

❤ 第1天
10分

❤ 第5天
5分

💔 第10天
0分

　　边际递减效应对每个人的影响是不同的，有些人可能很快就对一件事情感到厌倦，有些人可能经过较长时间才会感到厌倦。我们要尊重朋友的想法，一起做些新鲜事，来避免边际递减效应。而且，和朋友一起尝试新鲜事，也能拓宽自己的认知边界，让自己有意想不到的收获！

　　我们可以和朋友一起尝试哪些新鲜事呢？快来看看吧！

社交游戏

　　内向的人可以多跟朋友玩社交游戏，练习和他人面对面交流的技能，包括使用身体语言表达自己的意思、倾听小伙伴的意见、做决定、听从指示、相互合作等。

　　平常我们玩的猜谜、讲故事或者表演，都属于这类游戏。

　　这里介绍两种常见的社交游戏，和朋友玩起来吧。

传声筒

所有人围成一个圈，第一个人轻声告诉第二个人一句话，第二个人将这句话轻声传给第三个人，依此类推，直到话被传给最后一个人。将最后一个人听到的话与第一个人告诉第二个人的话进行对比。

你来比画我来猜

两人一组，一人比画一人猜，比画的人只能用身体语言表达。题目要贴近生活。

迟到

探索游戏

粗心的人可以跟小伙伴们一起玩探索游戏。探索游戏的好处非常多。

探索游戏的好处

提高观察力：对细节的观察会让你变得更细心。

提高判断力：你能够对事情的走向做出合理的推断。

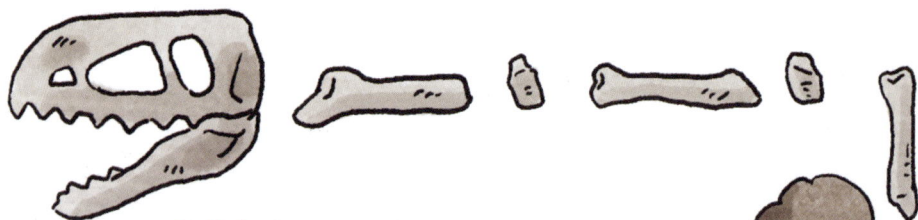

提高解决问题的能力：你可以运用探索成果解决实际问题。

让人变得更自信：每一次探索的成功都会让你对自己更有信心。

运动类游戏

滑轮滑

各种体育运动都属于运动类游戏，它们不仅可以让你的身体更强壮，也可以让你长得更高。虽然掌握一项运动技能并不容易，但是跟朋友一起，事情会变得轻松很多！

放风筝

打球

只要彼此信任、相互合作，无论和朋友一起玩哪种游戏，都能获得快乐的体验。在一次次游戏中，你们的友谊也会不知不觉地加深。

所以，别再抱怨"很无聊"啦！快来和朋友一起玩些新鲜的游戏吧。

游泳

和好朋友吵架了

41

警惕异化沟通

朋友之间难免产生矛盾或起争执，这常常是异化沟通在作怪。异化沟通是指当我们在沟通过程中使用某些语言和表达方式时，会忽视对方的感受和需求，让对方感到被伤害。以下是 4 种常见的异化沟通方式。

你会不会踢球?!

1 进行道德评判

阿义对阿雄进行道德评判，这会让阿雄感到被否定。批评、指责和辱骂都会伤害朋友。

我就能踢进!

2 进行比较

比较其实是另一种形式的道德评判，所以我们也要避免这种异化沟通。

我们输球都怪你。

3 推卸责任

遇到问题，我们应该寻找自身原因，不要把责任都推给朋友。

以后你还是别射门了!

4 强人所难

强人所难会加深朋友之间的隔阂，使友谊产生裂痕。

语言可以是心灵的大门，让对方感受到我们的善意；语言也可以是一堵冷漠的墙，使沟通的双方产生隔阂甚至对抗。你会如何选择呢?

冷静，问问自己的内心

与朋友交往时，注意沟通方式，避免异化沟通，可以减少很多矛盾。产生矛盾后，我们如果处理得好，就能够在这个过程中加深对朋友的理解，提高社交能力。

所以，和朋友吵架后，要先让自己冷静下来，问问自己的内心。不妨试着回答下面这些问题，它们或许可以帮助你想清楚接下来怎么做。

朋友做了什么事让我不开心？我是不是反应过度了？

我希望怎样和朋友相处？

我可以和谁聊聊这个问题？

是什么让我心烦、受伤或生气？

我想怎么解决这个问题？

我希望朋友做些什么，或者不做什么？

我在这次争执中做了些什么？是不是做错了？

发生了什么事情让我的朋友变得和以前不一样了？

吵架后千万不能做的事

你真是个差劲的朋友！

1 不要冲动地对朋友说一些有攻击性的话

攻击性语言会让朋友感到很受伤、很难过，会破坏你们的友情。

2 不要在背后说朋友的坏话

即使你说的是事实，这些话也可能被别人曲解并传到朋友的耳朵里，这样，你的朋友听到的可能跟你原本想表达的完全不一样。

3 不要到处说你们之间的矛盾

被众人围观，矛盾会被无形放大。这样，其中一方即使想要做出让步，也会因为害怕别人议论、害怕没面子而退缩。

4 不要联合其他人一起攻击你的朋友

这种做法会激化你们之间的矛盾，也会让你的朋友产生被孤立、被排斥的感觉，这会让你们的关系越来越疏远。

44

怎么和好朋友重归于好？

吸 冷静……

沟通前

1. 让自己冷静下来，平复好情绪，也记得给对方留出冷静的时间。
2. 主动发出想和好的信号，让朋友知道你想解决问题。

对不起，我不该那么说你，你能原谅我吗？

沟通中

1. 如果觉得自己做错了，一定要诚恳地向朋友道歉。
2. 如果觉得对方有做得不好的地方，也要坦率地告诉对方。
3. 用平静的语调说话，不要太激动。
4. 如果实在不好意思当面沟通，也可以通过发短信、打电话或写小纸条等方式来表达。

沟通中遇到问题时

1. 朋友之间有分歧时，保留各自的意见就好，学会接受分歧。
2. 可以和朋友讨论一下，如果下次遇到同样的问题，怎么避免争执再次发生。
3. 和好后感觉尴尬是正常的。耐心一点儿，给大家一些时间。

我也有不对的地方，我们扯平了。

阿雄，我们以后还一起踢球吧！

我不该嫉妒好朋友吗?

今天的独舞······

······冠军是——

大家猜猜冠军是谁?

这次肯定是我!是我!

今天的独舞冠军是庄美莉同学!

恭喜她!

不过是校园比赛,第一名也没什么了不起。

放学后······

阿晶,我们一起回家吧?

阿杰，不如我们……

阿杰好受欢迎啊……

你这次又得了满分呀！

没什么啦，哈哈！

每次都是 这样……

我们去操场玩吧？

操场上也没什么好玩的，还浪费了做题的时间。

什么是嫉妒?

阿义最近怪怪的,对我爱搭不理的。

我觉得阿晶也是,她好像不喜欢我了。

其实,阿晶和阿义是被一个名叫"嫉妒"的情绪小怪兽缠住了。嫉妒是一种很常见的情绪,关系再好的朋友也可能相互嫉妒。

当别人拥有我们没有的东西,我们可能产生嫉妒。

当别人表现得比我们好的时候,我们可能产生嫉妒。

当别人比我们更有魅力的时候,我们也可能产生嫉妒。

嫉妒还常常发生在兄弟姐妹之间,这种手足之争争的往往是父母的关注和爱。

酸葡萄效应

　　这种"吃不到葡萄说葡萄酸"的心理，就是酸葡萄效应，指的是当一个人的需求没有被满足，他内心产生强烈的挫败感后，就会编造一些自我安慰的谎言，用来麻痹自己，以为这样做就能够从消极的情绪中走出来。阿晶、阿义身上都发生了酸葡萄效应。

　　酸葡萄效应在某些时候的确能帮助我们缓解消极情绪，但千万要注意，我们不能长期依赖这样的负面心理暗示，不然我们的心胸就会变得像针眼那么小，看不到别人的优点。

我嫉妒他人了，我是个坏孩子吗?

你如果察觉到自己出现了嫉妒情绪，不要害怕，也不要自责，可以运用下面的方法调整自己的心态，减小嫉妒的负面影响。

第一，接纳自己因嫉妒而产生的不良情绪，比如不安、失落、烦躁等。

第二，找到自己的优点和长处，不要否定自己。

第三，想一想你嫉妒的朋友是否曾经帮助过你。

第四，即使在冲动之下，也不要轻易说出伤害他人的话。

正确对待嫉妒，我们会变得更好

除了减小嫉妒对我们产生的负面影响外，正确对待嫉妒还能让我们成为更好的自己。

当我们嫉妒的是别人的才能时，我们可以努力练习，想办法让自己超越他，这时候嫉妒在促使我们进步。

当别人拥有我们没有的玩具时，我们可以去和对方商量能否一起玩，这时候我们学会了社交，说不定还能多一个朋友。

当别人的成绩比我们好时，我们可以向他请教学习方法，这时候我们学会了虚心和高效学习。

朋友失落时，要怎么安慰？

妈妈你看，这次测验我得了 A。

真的是 A 啊！阿琪进步真大！

妈妈，我们现在就去宠物市场吧？

去干吗？

我们之前说好的呀，如果我得了 A，你就让我养小猫。

那个……养猫要帮猫洗澡、铲屎、驱虫……

你现在学习这么忙，哪有时间照顾它？

我们说好的！

怎么安慰朋友最有效？避开 4 个雷区

当朋友心情不好的时候，给对方及时、有效的安慰，能增进友情。可是，现实生活中，很多人虽然有心安慰别人，说出来的话却会让对方的心情变得更糟。这是怎么回事呢？来看看下面这 4 个雷区。

这有什么好难过的？换其他东西不就行了吗？

雷区 1：否定

阿义否定了阿琪的感受，也否定了这件事情在阿琪心中的重要性，让她感到自己不被理解。类似的话还有"别这么脆弱""你就是想得太多"等。

雷区 2：比惨

虽然阿义的本意是想让阿琪感觉她遇到的事情不是最糟糕的，但实际上，阿义仍然是在否定阿琪的感受。

你这不算什么，上次我比你更惨。

养猫的确比较麻烦，你妈说得没错！

雷区 3：讲道理

在阿琪的心情平静下来之前，一切道理和建议她都听不进去，阿义说这种话只会火上浇油。

雷区 4：炫耀

不要炫耀自己的情况，这样只会让对方觉得更难过。

那你太惨了，我妈就从来不这样，我妈可好了……

跟我来……

这是汤圆，那是小花。

哇！

我天天都来看它们，已经跟它们很熟了。

喵

你以后可以经常过来看看这些小猫，把它们当成你的小猫。

我的小猫……

我现在感觉好多了。

安慰剂效应

　　为什么一句简单的"把它们当成你的小猫"，就能令阿琪心情平复呢？

　　很多年前，一位名叫毕阙的医学博士进行了一项研究——在患者不知情的情况下，把患者分为两组，让第一组服用正常药片，第二组服用与正常药片的外表一模一样、却不含任何药物成分的药片。结果，两组患者的症状都得到了缓解。他将这个现象称为安慰剂效应。

　　安慰剂本身不能解决问题，但它能激发人们的信念，产生积极的影响。

　　对阿琪而言，公园的这几只小猫就是那剂安慰剂，让她对小猫的喜爱之情有了可以投射的地方。

这样安慰最有效

我们力量有限，有时很难真正地帮助朋友解决他们的问题。但是，如果能获得安慰，朋友会好受很多。

安慰朋友需要讲究方式方法。根据对方的感受，给他最贴心的安慰，才能收到最佳的安慰效果。你可以试试下面这 3 个方法。

1. 倾听

有时候，即使什么都不做，只是陪在好朋友身边，听他诉说心里的苦闷，甚至只是听他哭一场，他之后也会告诉你，"谢谢你，我感觉好多了"。反之，一开始就着急给对方建议，不停打断对方宣泄情绪，只会让他觉得你想说服他、改变他、否定他之前的做法。

2. 共情

你可能不喜欢猫咪，不能理解阿琪的苦恼。但是想一想，假如妈妈说好给你买你最喜欢的玩具车，或者带你去你最喜欢的游乐园，结果她反悔了，你会有什么感受呢？站在朋友的角度思考，你的安慰会更真诚。

3. 陪伴

在朋友宣泄完自己的情绪后，你可以陪他一起做点儿你们喜欢做的事情，这样可以转移朋友的注意力。

如何表达感谢？

走啊，阿义，出去玩啊。

今天算了吧，你去找别人吧。

你怎么了？哪里不舒服吗？

……

其实我裤子的松紧带坏了，不用手拽着，裤子就会掉下来。

那下午的运动会怎么办啊？

我……我就不参加了。

阿义！

我家离得近，我给你拿了一条裤子过来。

有你真好！我一定不辜负你！

运动会上······

妈！给我买个变形超人呗？

还买！上周不是刚给你买过吗？

我想买最新款！

不行！太贵了！

我不是自己想要，是想送给阿杰。

停下来……

怎么回事？先说清楚……

表达感谢的好处

当我们遇到困难时，有人看到了我们的难处，愿意伸出援手，不管我们是否因此获益，都应该表达感谢。学会感恩，我们更容易发现生活中的美好，更容易体谅他人，嫉妒、抑郁和攀比也会少一些。

一位心理学家做了一个有趣的实验，他要求所有参与者对一名学生提供帮助，并要求这名学生写信给予回应。其中一半人收到了这名学生的感谢信，另一半只收到了平常的回复。有趣的是，那些收到感谢信的人更愿意再次帮助这名学生；而收到平常回复的人，只有32%愿意再次提供帮助。

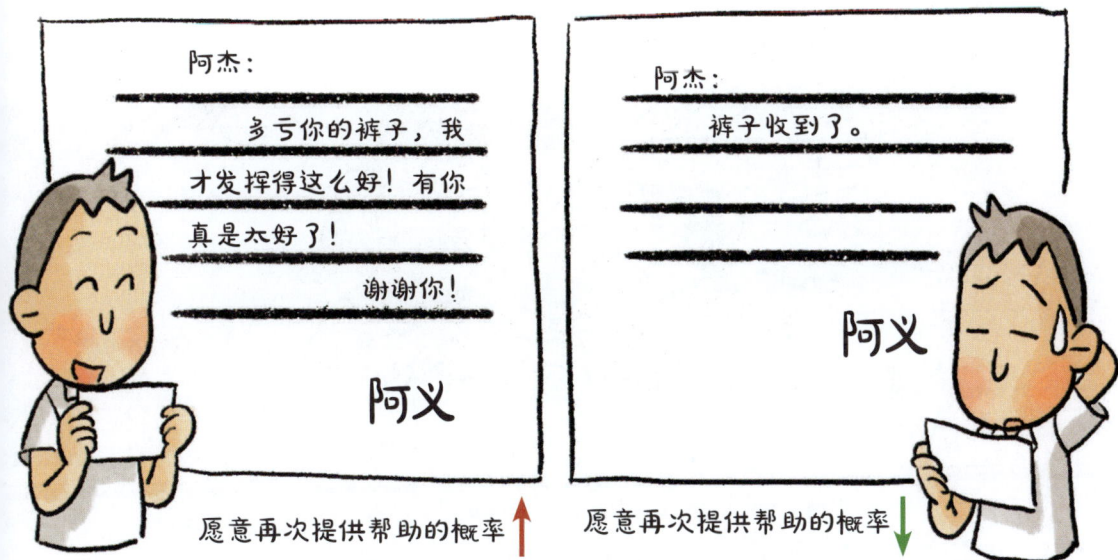

阿杰：

多亏你的裤子，我才发挥得这么好！有你真是太好了！

谢谢你！

阿义

愿意再次提供帮助的概率 ↑

阿杰：

裤子收到了。

阿义

愿意再次提供帮助的概率 ↓

这个实验说明，表达感谢会使别人相信自己的帮助是有价值的，这样可以增强他们的自尊心，并且激励他们再次去帮助别人。如果我们都能学会感恩，就能在人与人之间建立爱和信任的纽带，这是一件多么美好的事情啊。

阿杰，谢谢你！

可以通过送礼物表达感谢吗?

你和朋友之间一定互送过礼物吧? 一包零食,一支笔,一件小玩具……这些小东西能让我们体会到给予和分享的快乐。不过,像阿义那样,送朋友价格昂贵的礼物,会让我们体会到更大的快乐吗?

在一千多年前,一个西域国家决定把一只非常珍贵的白天鹅送给唐太宗。使者一路小心呵护,但是白天鹅却意外飞走了,只留下几根羽毛。使者只能把这几根羽毛包好,如实告诉唐太宗。唐太宗不仅没有责怪他,还很感动。从此,"千里送鹅毛,礼轻情意重"的佳话便流传了下来。

朋友之间的情谊不能用礼物的贵贱来衡量,重要的是心意和态度。而且,朋友之间互送昂贵的礼物,还存在以下两个问题。

1. 不符合自己年龄段的消费行为不仅不利于培养正确的金钱观,还有可能使我们养成攀比的习惯。

2. 每个人的家庭情况不同,如果我们赠送的礼物太贵,也可能给对方造成经济压力。

表达感谢时要注意什么?

除了送礼物,我们还可以用口头感谢、写感谢卡等方式表达感谢。在表达感谢时,需注意以下几点。

1 真诚、具体

比起只说一句"谢谢你",用下面4个步骤真诚、具体地表达感谢,对方不仅能感受到我们的谢意,还会因为自己的付出有了回报而倍感开心。

1. 复述对方如何帮助了你。

> 阿杰,谢谢你跑回家拿了一条裤子借给我。

2. 说明对方的帮助为你解决了什么难题。

> 我穿着这条裤子跑得特别快!

3. 说明如果没有得到帮助,你会陷入怎样的麻烦。

> 要是没有这条裤子,我就拿不了第一了。

4. 再次表达感谢。

> 有你真好!谢谢你!

2 关注朋友的兴趣爱好

如果我们的朋友刚刚开始学书法,那么我们可以送他一本漂亮的字帖,在表达感谢的同时,送上我们的鼓励,表达我们对对方的关心。

遇到霸凌怎么办?

什么是霸凌?

　　霸凌，就是一次又一次地蓄意甚至恶意伤害别人的行为。

　　霸凌行为有很多种，记住下面这些具体的表现，一旦遇上，一定要提醒自己：霸凌正在发生！

关系霸凌

排挤、孤立受霸凌者，到处说受霸凌者的坏话，散布关于受霸凌者的谣言。

身体霸凌

绊倒或用力地推、撞受霸凌者，甚至对其拳打脚踢。

故意拿走受霸凌者的东西，甚至把东西砸烂、踩坏。

对受霸凌者做不文明的手势。

言语霸凌

辱骂、嘲讽受霸凌者，给受霸凌者起侮辱性的外号，取笑其外貌。

恐吓、威胁、逼迫受霸凌者做他不愿意做的事情。

网络霸凌也是霸凌

网络霸凌指在网上公开说受霸凌者的坏话，曝光受霸凌者的隐私，甚至恶搞受霸凌者的照片。

下面这几项行为，哪些是网络霸凌？在你认为"是"的选项前打√。

□给受霸凌者发送具有侮辱性或攻击性的信息。

□在网上公开说受霸凌者的坏话。

□把受霸凌者的照片和隐私发布在网上，甚至恶搞受霸凌者的照片。

□在网上散布关于受霸凌者的谣言。

□在网上公开表示附和、支持或者转发他人发布的关于受霸凌者的谣言或恶搞照片。

注意，以上行为全都属于网络霸凌行为！

面对霸凌，我们可以做什么？

霸凌别人并不会让你看起来酷或帅！
霸凌是一种严重的错误行为！
没有人天生就该承受别人的霸凌！
我们必须对霸凌零容忍！

以下这些都是反抗霸凌的有效方法，记下来！

方法 1

保持镇定。霸凌者就是希望看我们出丑，这样才显得他厉害。所以，如果我们表现出恐慌和软弱，就会让霸凌者得逞，他甚至会变本加厉。

错误行为：
· 哭；
· 表现得很软弱；
· 任凭摆布。

正确行为：
· 勇敢面对霸凌者；
· 大声指出霸凌者的错误；
· 交更多朋友。

方法 2

向大人求助。霸凌者都是很怯懦的，他们只敢躲在背后偷偷做些小动作。我们可以对霸凌者说："我会把你的行为告诉老师或爸爸妈妈"。当然，如果你觉得自己面对的霸凌不算严重，而且对方只是初犯，也可以选择先不告诉老师，只是吓唬对方一下。不过，如果对方不悔改，你就一定要告诉老师或者家长。

错误行为：
朱斯衷心想："如果老师骂了他，他可能会变本加厉地欺负我。我还是别说了。"

正确行为：
朱斯莺说："老师，他老欺负我！"

方法 3

坚信被霸凌不是自己的错。面对霸凌时，不同的人会产生不同的情绪，比如悲伤、愤怒、羞耻、绝望、害怕、孤独等。但无一例外，每个被霸凌的人都会感到挫败。

但是，千万别相信霸凌者那些诋毁你、打击你的话。没有谁是完美无瑕的，我们每个人都有缺点，不要因为他人带有恶意的攻击而怀疑自己，你要相信你是最好的。

如果遭到霸凌，受了委屈，一定要相信爸爸妈妈可以帮助你。尽管有时候他们可能会唠叨，但他们是最爱你的人。所以，别向他们隐瞒你的遭遇。

在学校，老师有义务保护你，校方也不会对你的遭遇袖手旁观。如果霸凌者三番两次找你麻烦，你一定要向校方反映问题。

就算霸凌者不是在校学生，你也不用害怕，警察会保护你的安全。法律不会允许霸凌行为的存在。

你也可以多交一些朋友。朋友可以安慰你，帮助你排解痛苦。此外，霸凌者看到你有很多朋友，也会胆怯，不敢再欺负你。

别被霸凌者"不许告诉别人"的恐吓吓倒，也别害怕他所谓的报复，你的隐忍只会换来对方的得寸进尺。不过，反击的方法有很多种。不要用极端的方法去报复，不要做违法的事。

如何帮助那些被霸凌的人？

如果身边的朋友或同学正在遭受霸凌，我们要帮助他们吗？
想象一下，如果被霸凌的人是你，你是不是很希望有人能理解你、帮助你？
所以，不要犹豫，伸出你的援手吧！

· 不做霸凌者的帮凶！当你看见有人被霸凌，不要喝彩，更不要嘲笑。当你听到恶意的谣言时，不要传播它。

· 主动制止霸凌行为！和同学们联合起来，一起制止霸凌行为。

· 安慰受霸凌者。课间休息或吃饭的时候邀请朋友一起，和受霸凌者交朋友，告诉他，你对他的遭遇感到很难过。

· 如果霸凌正在你眼前发生，并难以制止，请你赶紧告诉老师或者其他大人。

· 如果发现有人受到网络霸凌，可以进行网络举报，并保护受霸凌者的隐私。

但是，帮助受霸凌者的时候，一定要记住：不管遇到什么情况，安全第一！不要在力量不对等的情况下贸然反抗霸凌者。

请主动帮助那些被霸凌的人，你的行为可能会改变他的人生！

如何组织活动?

我们先来确定主题，大家觉得哪个主题更好呢？

A. 低碳环保
B. 如何防治塑料垃圾污染

哈欠

这俩都差不多，我没意见，你定吧。

低碳主题最近很热……可是塑料垃圾污染也很严重……我都想选……

我看隔壁组好像选了A，不如我们选B吧。

这俩我都不喜欢，能不能不选啊……

?&*#

&*#!

强迫选择原则

在活动中，我们经常会发现，需要大家表达对一件事情的看法时，人们要么没有看法，要么不感兴趣，要么内心非常纠结，导致进度迟迟无法推进。这时，我们可以利用强迫选择原则，更高效地推进活动。简单来说，就是把"做什么""怎么看"等简答题，变成选 A 或者选 B 的单选题。

例子 1

阿义：我们来投票吧，选防治塑料垃圾污染的请举手。

（阿雄、阿晶、阿杰举手。）

阿义：那主题就定防治塑料垃圾污染喽！

例子 2

阿义：周末咱们去做什么呀？

阿雄：打电子游戏？还是去打篮球？商场里新开了家玩具城，我们去那儿吧？可是这周太热了，我们还是出去吃冷饮吧。但是好久没打篮球了……

阿义：我比较想去打篮球，你来不来？

（阿雄纠结了一会：好！）

有时候，一些聪明的商家还会利用强迫选择原则，让我们在不知不觉间购买我们原本不需要的东西。

咱们有两项任务。任务1：查资料，搞清楚塑料垃圾的危害；任务2：调查小区垃圾桶里哪种塑料垃圾比较多。谁选任务1呢？

查资料

只有我一个啊……也行！

实地调查

整理、汇报

我们周六完成各自的任务，周日上午在我家集合，讨论如何减少塑料垃圾。

散会！

77

蝴蝶效应

阿琪的妈妈感冒了，导致小组活动没有办法推进。听上去是不是有些不可思议？这就是蝴蝶效应。很多年前，美国一位气象学家在解释空气系统理论时曾说过，亚马孙雨林中的一只蝴蝶偶尔扇动几下翅膀，也许就会使美国得克萨斯州两周后出现一场龙卷风。即使是一个十分微小的变化，经过不断放大，也可能对未来造成极大影响。

所以，我们在考虑事情的时候，一定要细致、全面，让问题在影响不太大的阶段得到解决。阿义当初如果及时发现只有阿琪一个人承担任务 1，并增加 1 名同学和阿琪一起承担任务 1，那么不仅能让查到的资料更加准确、翔实，也能规避潜在的风险。

鲶鱼效应

听说阿杰迅速完成任务后，其他同学立刻变得积极起来。你也会这样吗？看到别人很积极，我们可能也会立刻积极起来。这是为什么呢？也许心理学上的鲶鱼效应能给我们答案。过去，北欧渔民出海捕捞回来的沙丁鱼，大部分会在回程的途中窒息而死。后来，为了提升沙丁鱼的存活率，渔民们在装满沙丁鱼的鱼槽里放进几条好动的鲶鱼。当鲶鱼横冲直撞时，原本死气沉沉的沙丁鱼会加速游动，从而保持了旺盛的生命力。

鲶鱼效应告诉我们，如果想让团队成员充满活力和干劲，可以安排积极的人来充当鲶鱼，激发成员们的竞争心理，这样能够让活动进行得更加顺利。

我怕运动会没人报名参加，你能不能积极响应一下？

没问题！

下午 3 点……

资料整理得差不多了，今天晚上我们各自回家写一篇报告。

好的……

散会。

好……

组织活动的步骤

你能根据阿义的经历总结出如何组织活动吗？让我们回顾一下吧！

第 1 步：确定活动的目标。

第 2 步：根据目标分解任务，并给团队成员分配任务。

第 3 步：确定每个小任务的完成时间，以确保准时完成最终目标。

第 4 步：考虑任务执行过程中可能会出现的问题或障碍，并想好应对的方法。

第 5 步：及时了解每位成员的进度。

现在，假设让你组织同学完成主题 A "低碳环保" 的社会实践活动，你能根据这 5 个步骤，将活动安排下去吗？试一试吧。

好朋友有了新朋友

五子棋

谁啊？

啊！是磊磊啊！

一起去滑滑板吧！

这是……？

是我露营时新认识的朋友。

走啊阿杰，我们一起去滑滑板吧。

可是我不会滑滑板啊……而且棋还没下完……

我们回来再下嘛。

走吧，走吧！

好吧……

好热啊，我们喝点儿什么吧？

好，就去这家新开的网红奶茶店吧。

都奶茶
三夏时

有这么多种啊……

老板，我们要3杯……

嘟嘟噗噗好喝到爆炸茶！

你也看那则广告了！

什么啊……

友谊中的嫉妒

我们中的很多人可能都碰到过这种情况:明明和好朋友玩得好好的,可是他的另一个朋友一加入,好朋友的注意力就被抢走了,这时候我们会觉得不愉快,感觉自己被忽视了,甚至会"吃醋"。

"吃醋"不仅出现在爱情中,在友情中也同样会出现,它是嫉妒的一种表现。不过别担心,嫉妒这种情绪没有好坏之分,它只是一个信号,提醒我们这份友谊很重要,要好好珍惜。

所以,我们不能因嫉妒而自我贬低,或者做出一些消极的行为、说一些有攻击性的话,这只会伤人伤己。

为什么大家都不喜欢我?

错误行为 1:自怨自艾

我不许你跟磊磊一起玩!

错误行为 2:控制好友

听说磊磊偷东西,你离他远点儿。

错误行为 3:诋毁他人

如何应对友谊中的嫉妒？

不可否认，3个人做朋友也有彼此都相处得非常融洽的情况。但是，3个人的关系确实比两个人的关系更复杂、更难处理。那么，当你的好朋友有了新朋友时，你该怎么办呢？

1 调整心态，这或许是自己认识新朋友的机会

如果你的好朋友是个很好的人，那么他的新朋友很有可能也是不错的人。不妨试试跟这个新朋友交往吧，可能你会多一个好朋友呢！

> 你喜欢下哪种棋？

> 五子棋、象棋、围棋……我都喜欢。

> 我觉得你今天有点儿忽视我。

> 对不起……

2 如果感到被忽视了，那就大胆说出来

任何人都不能百分之百了解别人的想法。如果你觉得自己被忽视了，可以直接告诉你的好朋友他的哪些行为让你感到被忽视、被冷落，甚至被排挤。

3 如果某项活动你非常不喜欢，那么你可以礼貌拒绝

如果你对另外两个人做的事情不感兴趣，那么不参与其实也没关系。

> 我确实不太喜欢滑滑板，就不去了。不过以后玩别的可要记得叫我。

4 可以邀请更多伙伴加入你们

三角形的一条边如果比较短，它很容易就会被发现。但是，如果五边形、六边形的一条边稍微有点儿短，它就没那么显眼了。所以，你如果在3个人的小集体中感觉不自在，可以多叫几个人，大家一起玩。

5 学会转移注意力

尽量不要只围绕一个人建立朋友圈子。你如果能多交一些朋友，就不会因为一个朋友的言行而患得患失了。

带我一个！

你学会了吗？

你也可以参加一些新的兴趣班、培养新的爱好，这样既能减少孤独感，让生活更加充实，也能结识更多新朋友。

今天真热啊!

等下要不要再滑一会儿?

不了,我不滑了,我想回去了。

咱们回去下跳棋吧? 这样可以3个人一起玩。

我也累了,咱们回去吧。

听阿义说你下棋很厉害!

哈哈哈,还行吧。

我要和好朋友每分每秒都在一起

今天要玩个痛快！

今天真开心啊！

第二天……

阿杰，我们今天继续去玩吧？

抱歉啊，我今天有书法课，不能一起玩了。

哎，真无聊，我去找阿雄。

阿雄，我们去玩吧？

今天小虎约我一起去游泳，改天吧。

怎么连你也这样。

明明说好，好朋友每天都要一起玩的，他们却扔下我……

食盐效应

食盐是必不可少的烹饪调料，少了它，菜肴就缺少了滋味。可食盐一旦放多了，做出的饭菜就会让人难以下咽。这就是食盐效应：再好的东西也要适度，一旦过度，事情就容易"变味儿"。

菜里如果放很多盐，人就被齁得不行。

适度

过度

其实，在朋友相处的过程中，也存在食盐效应。大多数朋友刚认识的时候，由于有新鲜感，都想时时刻刻黏在一起。可关系再亲密，双方也都是独立的个体，都有各自的事情要做。要求朋友时刻陪着你，会让朋友觉得没有自己的空间，甚至产生窒息感。时间久了，朋友难免想要逃离。

和好朋友相处，如何做到"亲密有间"？

交到好朋友是一件非常快乐的事情，但是和好朋友相处也要做到"亲密有间"。我们和好朋友就像两只相互取暖的小刺猬，离得太远，就不能温暖彼此；离得太近，又会被对方刺得遍体鳞伤。只有找到合适的距离，才能成为彼此温暖的依靠。你如果对好朋友非常依赖，总是忍不住黏着对方，就要注意以下3点。

1 适度交往，注意频率和距离

"食盐效应"表明，过度亲密可能对友谊有害。所以，我们如果发现自己过于频繁地联系好朋友，可以尝试去结交新朋友，和新朋友分享我们的生活。

2 调整心态，克服占有欲

我们不能把自己的想法强加给别人。朋友可能有自己的安排，也可能和其他同龄人关系亲密，我们应该理解和尊重。这并不代表朋友背叛了和我们之间的友谊。

3 懂得分享，快乐加倍

虽然我们不能时时刻刻和好朋友在一起，但是我们可以在相聚时和好朋友分享彼此的快乐，这样我们就能收获双倍的快乐。

只要能在对方需要的时候帮助对方、鼓励对方、信任对方，即使不时刻黏在一起，你们也是好朋友！

一辈子的好朋友！

好朋友也会分开

祝大家暑假愉快!

圆圆,这个假期我们一起去博物馆吧?

过几天我就要搬家,去别的城市生活……

什么时候?

可能下周吧,妈妈已经办好转学手续了。

搬家

不走不行吗?

不行,妈妈说她在那边找到了新工作。

你怎么可以这样?!我们说好一辈子不分开的!

以后我就要课间一个人上厕所，中午一个人吃午饭，放学一个人回家，做什么都是一个人，多孤单啊！

都怪圆圆的妈妈，为什么不能在这座城市工作?! 圆圆是个大骗子，我们明明说好要一辈子在一起的！

成长总会伴随分离

　　刚学会走路时，你松开妈妈的手探索这个世界。长大了一点儿，上了幼儿园，你第一次离开爸爸妈妈一整天，开始学会独立。后来，你上小学了，白天你离开父母的时间更长了。有一天你也许会上大学，会去别的城市，或者别的国家。我们一直在成长，成长伴随着变化，变化会带来分离。

　　在成长过程中，你还要面对很多分离。你最爱的汉堡店也许有一天会倒闭，你再也吃不到了；陪你长大的动画片，总有一天会有结局；和你从小玩到大的朋友、同学，也许有一天，他们会转学，或者与你升到不同的初中……

　　学会面对分离，是我们每个人的必修课。某种程度上，正是因为人与人会分开，所以大家在一起的日子才特别珍贵。

反刍思维

牛、羊等动物不只有一个胃，它们将食物吃进去之后，还会把食物反回到嘴里反复咀嚼。翻来覆去地思考、回忆一件事，但却不积极地解决问题，这就陷入了反刍思维。

我们虽然难免遇到不如意的事情，产生消极的情绪，但一遍又一遍地回忆过去，只会陷入消极情绪的漩涡，无法自拔。这种感觉就像走进了死胡同，最后我们很可能情绪失控。

正因为分离一定会发生，所以我们一定要摆脱反刍思维，避免分离的悲伤影响我们的正常生活。

避免消极情绪的反刍

摆脱反刍思维很简单，记住下面两种方法。

1 将消极想法转换成积极想法

消极想法
圆圆走了我就孤单一人了。

积极想法
圆圆走了，我还可以和阿晶一起玩。

与其让消极想法一直在大脑中盘桓，不如用一些积极想法代替它。

2 把消极想法当成垃圾扔掉

把脑海中那些令你变得消极的想法写在纸上，然后把它们扔进垃圾桶。心理学家研究发现，这个做法会令你在几分钟后就产生一些积极的想法，比如"我要开心起来""我要打起精神好好上课"……

好好面对分离，并和好朋友保持联系

既然分离已经不可避免，那么不如好好珍惜在一起的时光。

在即将分开的这段时间里，你和好朋友还有很多事情可以做，比如一起逛街，一起看电影，一起为对方挑选美美的发饰……列出你们想做的事情并一起去做吧。

童年的友谊是非常珍贵的，一定要珍惜。现在通信技术很发达，我们可以给对方打电话、发消息。和朋友分享自己的新生活是维系友情的一个好办法。

1. 把生活中的趣事或者新变化及时分享给朋友。

2. 亲手做一些礼物，寄给远方的朋友。这个礼物可以是一枚书签、一张贺卡，还可以是我们的自画像。

3. 多关心朋友，在朋友有困难的时候，就算我们不在他身边，也可以安慰他，帮他想办法。

4. 和朋友看同一本书、同一部电影，或者玩同一个游戏，这样可以使我们和朋友有更多共同语言。

5. 相互介绍新朋友。

你还有哪些小妙招？可以都试一试。

总被朋友打击，怎么办？

我叫郝帅，让你们看看什么是真正高超的球技。

你好厉害啊，我们能一起踢球吗？

唰——

阿雄，你去捡一下球。

呼

谁让他球技差，踢不进的。

哼！

为什么每次都让他捡球？

算了，不踢了，我们去买冰棍儿吧。

我好累啊，你们去帮我买回来吧。

凭什么？我们也很累啊。

你们球技那么差，能累到哪里去。

煤气灯效应

你有没有像阿雄那样，因为别人的评价而觉得自己身上都是缺点，进而听从别人的安排？小心，这可能是煤气灯效应在作怪。这个效应因为一部经典电影《煤气灯下》而广为人知。电影中，女主人公宝拉继承了一大笔遗产，于是被居心叵测的安东盯上了。安东为了彻底控制宝拉，故意藏起宝拉的胸针，等宝拉找不到时，就说她记忆力变差了；安东还故意将煤气灯的光线调得忽明忽暗，让宝拉以为自己出现了幻觉。慢慢地，宝拉真的觉得自己的记忆力变差了，觉得自己什么事情都做不好，最后差点儿疯掉。

总结一下，煤气灯效应说的是：别人通过故意扭曲事实，让我们认为凡事都是我们自己的问题；如果我们对别人的批评全盘接受，就很容易陷入自我怀疑，从而处处任人摆布，去做那些我们不想做的事情。

小心那些虚假的"为你好"

在生活中，我们一定要分清什么是虚假的"为你好"，什么是真正的"为你好"。虚假的"为你好"只会消耗我们的精力，让我们在不知不觉中丧失斗志，陷入自我怀疑。

真正的"为你好"	虚假的"为你好"
鼓励你前进：不会一味地吹捧你，但是会鼓励你战胜困难。 你报名吧！和高手过招一定进步得很快！	**阻止你前进：**表面看上去替你着想，实际上让你失去前进的勇气。 你这水平在小区里踢就算了，还要去市里丢人吗？
重视你的感受：想办法给你创造施展才能的机会。 今天对手实力不强，让阿雄当首发吧？	**忽视你的感受：**看似客观，实则通过奖惩措施控制你的行为。 他水平不行，如果不愿意当替补，就不要一起玩了。
发现你的进步：为你的进步而开心。 阿雄，你太厉害了，踢进了决胜的一球！	**否定你的努力：**总觉得你做得不够好，打击你的自信心。 这么弱的对手，你才进一个球，也好意思庆祝？

3 步摆脱煤气灯效应

1 意识到那些虚假的"为你好"对你的负面影响

　　那些虚假的"为你好"会让你陷入抗拒、犹豫、不开心的状态，当你意识到这一点时，你要坦诚地面对自己的内心，不要替对方找借口。

2 相信自己，增强自我价值感

　　你如果认为自己没有价值，就容易因为害怕友情破裂、害怕被批评而去讨好别人，被别人控制。所以，你要增强自我价值感，看到自己的优点，哪怕是一点儿微弱的光芒，都值得去关注，并且记录下来。

> 我踢球踢得很远。

> 你总打击我，让我感到很不开心。

3 进行必要的沟通

　　真正的好朋友会鼓励你、帮助你成长，让你获得力量，使你变得更自信。面对总是打击你的人，你要勇敢地对他说："那只是你的想法，我不这么认为。"没有人能强迫你去做自己不想做的事情，你不用为了取悦别人而为难自己。我们每个人都是自由的。

太热了……他俩怎么还不回来……

喂！不是让你们给我带冰棍儿吗？怎么没有我的？

你球技好，不代表可以随便打击、指使别人。你再这样，我们就不和你玩了！

……

对……对不起……我之前忽略了你们的感受，以后不会了……我还想跟你们做朋友……

可是这是错的呀！

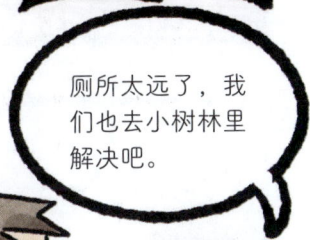

嘿！

咕咚 咕咚

大家等我一会儿，我憋不住了！

来不及了！

周毅，厕所在那边啊！

呼

不好，我也憋不住了。

厕所太远了，我们也去小树林里解决吧。

我也想上厕所。等我一会儿。

阿义，去小树林吧，近。

难道让我们这么多人等你吗？

别磨磨蹭蹭了。

快点儿啊。

这样不好吧……但是大家都这么做了……

一周后……

从众心理和破窗效应

大家都这么做，
要不我也……

看到别人打哈欠，你是不是也忍不住想打哈欠？看到大家都在网上谈论一部新动画片，你是不是也想看一看？阿义起初明明不想在小树林里小便，后来又在那里小便了。这些都是从众心理在捣鬼。当我们对自己的判断和认知没有自信时，就会跟随群体的选择，觉得"越多人做的事情就越可能正确"。

明明最早只有周毅他们几个人在那片小树林里小便，可为什么后来大家都效仿呢？这是因为从众心理导致了破窗效应。心理学家发现，一幢门窗完好的空房子，很长时间过去也不会破损；但是，一旦这幢房子有一扇窗户被打破，那么其他窗户也会在很短时间内被破坏，甚至整幢房子都会被破坏。这是因为，一扇破窗户会给人一种这里没有秩序的错觉，让人不自觉地丧失道德感、释放恶意。

警惕盲从

其实，从众行为不一定都不好。跟着大家排队，可以快速有序地上车；天黑之后结伴而行也更安全。但是，如果没有主见，不论对错，一味地听从别人，就是盲从。校园生活中有一些常见的错误行为，很容易让我们盲从。下面这些行为都是我们要尽量避免的。

1 怂恿同学抄作业

> 我还没做完作业……

> 抄一下不就好了。

> 你听说了吗？周毅……

2 背后谈论他人是非

> 快把这条消息转发到所有群！

3 散布网络谣言

不过，我们只要做到下面这 3 点，就能"跳"过大部分盲从心理的"坑"。

1 思考后再做判断	**2 提防认知偏差**	**3 别怕和别人不一样**
盲目地做判断可能会伤害别人。在做判断前先想一想：我是知道了事情的来龙去脉才这样想，还是大家都这样想我才这样想？	你在听到某个观点时，不要一开始就全盘接受，不妨多听听其他人的看法，这样，你对这个观点的了解会更全面。	别人的意见当然可以参考，不过，如果你经过思考和判断后有不一样的想法，也可以提出来，即使跟别人的不一样也没关系。

> 我先想想……

我们有权利说"不"

记住以下 3 点，对伙伴说"不"可能会变得容易一些。

1 不要感到内疚，我们总不能对所有事情都说"好"

即使是最好的朋友也不可能总是意见一致，真正的朋友应该尊重彼此的感受。我们要允许对方有不同意见，而且我们也有说"不"的权利。

2 不要等到自己受不了了才说出来

对一件事情，我们忍耐得越久，就越难说"不"。所以，感到不舒服时，我们应该立刻说出来。

3 如果朋友不能接受"不"，那是他的问题，不是我们的问题

如果朋友做出不当的行为，我们试着阻止他，他却感到生气，可能是因为他觉得自己的权威受到了挑战，也可能是因为他习惯了以自我为中心。不过，这是他的问题，不是我们的问题，我们要坚定、不退缩。

我们可以这样巧妙地说"不"

　　除了要勇敢说"不"，懂得如何说"不"也很重要。下面这几点可以帮助我们在不尴尬、不破坏友谊的前提下，让朋友接受我们的拒绝。

我再想想！

▉ 将"不"换成"我再想想"

　　如果觉得直接说"不"实在难以启齿，不妨把"不"换成"我再想想"，这样就会容易得多。

▉ 简单地说出自己的理由

　　简单地说出理由，让朋友了解我们的苦衷和感受，这能让我们的拒绝看起来不那么生硬。不过，千万不要编造一个虚假的理由，这会让事情变复杂。

这样体育场环境会变差！

我们下次可以去另一个体育场，那儿的厕所近。

▉ 提供解决方案

　　如果不希望自己因太刻板而被排挤，可以通过提供解决方案来减轻朋友被拒绝后心理上的不适。

远离坏朋友

哇！阿琪，你画得又快又漂亮。

这要归功于我妈妈昨天给我买的新水彩笔。

看着不错啊，可以借我用用吗？

可我还没画完……

别这么小气嘛，我们是好朋友啊。

菲菲，把水彩笔还给我吧！

一点儿也不好用，给你。

阿琪，你过来。

阿晶在背后说我坏话了吧?

没有啊……

我警告你，阿晶可坏了，你最好离她远点儿。

就算你不说我也知道。

如果你还想要水晶尺子，就别和阿晶来往了。

哼!

鳄鱼法则

　　有时候，我们和一些朋友相处起来，会觉得好像哪里不对劲。在这种情况下，是应该继续维持这份友谊，还是应该结束它，让自己开心一点儿？

　　考考你。假如你被鳄鱼咬住了一只脚，你是打算用手去掰开鳄鱼的嘴，解救你的脚，还是牺牲一只脚，保住性命？假如你用手掰鳄鱼的嘴，鳄鱼很可能把你的手和脚同时咬住，你挣扎得越厉害，就被咬得越狠，最后可能连性命都没了。但牺牲一只脚的话，你还有可能逃脱，保住性命。这就是鳄鱼法则。

　　当你已经遭受损失时，你应该立即止损，不要犹豫。给自己找借口和傻傻期待，只会造成更大的损失。

什么样的朋友是坏的朋友?

好的朋友像太阳,会带给我们阳光和快乐;坏的朋友像毒品,会腐蚀我们的心灵。如果你的朋友有下面这几个特征,记得参考鳄鱼法则,尽快远离他。

1 不守信用

答应你的事情总是做不到,而且态度不好。

2 喜欢搬弄是非

总是在背后议论别人,说别人的坏话,还到处散播别人的谣言。

3 嫉妒你,打压你

当你取得好成绩时,他不仅不开心,还会阴阳怪气地贬低你;当你遇到挫折和失败时,他可能又会来假意安慰你。

4 有不良行为

很大一部分青少年犯罪的原因都是结交了坏朋友。所以，当你发现朋友有偷窃、打架、抽烟、喝酒等不良行为且劝说无果时，要尽快远离他，免得误入歧途。

5 经常跟你吵架

如果你发现自己与他吵架的次数过多，就要留心你们是否有无法协调的性格差异。

你凭什么不让我和阿晶一起玩?!

6 不接受你的意见，太过自我

比如玩什么游戏、和哪些朋友一起玩，他都要按照他的意愿做，不接受你的意见。他的这种做法迟早会让你心理失衡。

和坏朋友说再见

请谨记，当你觉得一位朋友让你不开心，并且如果你的生活中没有他，你会过得更好，别犹豫，结束这段友情是最好的决定。你的生活会因此充满阳光。

我不想和你做朋友了。

1 正式告别

你可以写一张卡片，或者找个时间和他好好聊一聊，明确地说出这段友情让你感到不舒服的地方，无须指责对方。最后，简单地说声再见。

2 慢慢疏远

你如果觉得直接说再见太难，可以逐渐从他的社交圈中消失，比如不再评论对方的朋友圈，或者将他的信息设置为"不提醒"。当对方联系你的时候，你可以不回复他。

两周后……

今天有数学小测验，大家要准备好尺子。

测验

呀！忘带尺子了。

阿琪，借我把尺子，我忘带了。

毫无反应

别这么小气嘛！我们是好朋友啊！

我可不记得自己有你这个朋友，去找你妈妈要水晶尺子吧。

咔！

能和在网上认识的人做朋友吗？

她没准儿是个骗子，你快删了她！

你怎么能这么说?! 你又没和她聊过！

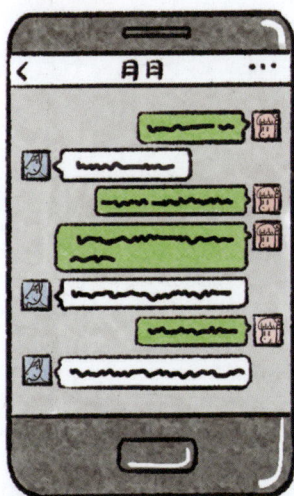

我俩喜欢一样的明星和电视剧，每次我伤心的时候，她都会安慰我。

和你们不一样，她真的理解我！

我就说你最近怎么天天盯着手机，原来是交了网友。你小心被人给骗了。

反正我们约好在北京见面！不用你指手画脚！

爱怎么样怎么样吧！我不管你了！

我今天和朋友吵架了。

谁让她说你是骗子的！

她是嫉妒你有了新朋友。

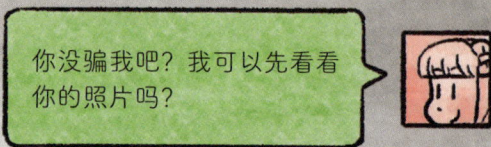

你没骗我吧？我可以先看看你的照片吗？

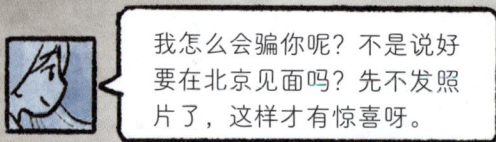

我怎么会骗你呢？不是说好要在北京见面吗？先不发照片了，这样才有惊喜呀。

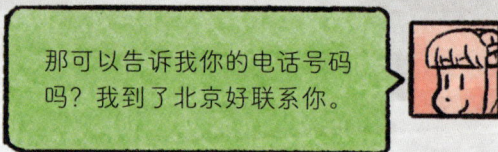

那可以告诉我你的电话号码吗？我到了北京好联系你。

你直接打微信电话就可以。

她怎么什么都不告诉我啊……

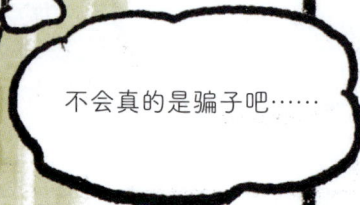

不会真的是骗子吧……

126

网络交友的优点和缺点

　　网友是通过互联网认识的朋友，最大的特点就是现实中见面较少或根本没有见过面，对彼此的个人信息、生活背景、人际关系了解较少。网络交友有优点也有缺点。

你好！

Hello！

优点

1. 通过互联网，我们可以结交来自不同地区甚至不同国家的人，了解他们的文化和生活方式。
2. 由于网友很少在现实生活中产生关联，所以任何人都可以很轻松地在网上开始或结束一段友情。
3. 网上的匿名身份让我们更容易表达自己的感受。
4. 不管多小众的爱好，在网上都能找到同好。

你也喜欢这部动画片！

***

⊕~！

X?⊕!!!

缺点

1. 隔着屏幕，我们可能永远不知道对方的真实身份。
2. 无论聊得多么好，对方也有可能突然间说不见就不见。
3. 可能听到刻薄的言语。
4. 可能结交坏人，染上说脏话、吸烟等恶习，甚至可能无意间参与赌博、诈骗等违法行为。
5. 与现实中的亲朋好友相处的时间变少，这可能影响正常社交及身心健康。
6. 如果暴露了个人信息，可能被网暴、威胁，甚至人身安全也难以得到保障。

骗子

网络交友需谨慎

在网络时代，我们难免要跟网上的人交往，在这种情况下，我们需要了解一些网络交友的注意事项。

她为什么要这么多我的信息呀？

1. 不要过多透露个人信息
姓名、电话、住址、所在学校、父母的姓名和工作单位、家庭条件、常去的地方……这些可能会暴露你真实身份的信息，一定不能泄露。

2. 警惕照片出卖你
人像照片、经常去的小店的照片、小区的风景照……这些看似不会说话的照片，足以暴露你的位置。尤其要注意的是，隐私部位的照片一定不能上传到网上。

嘿嘿……

3. 避免炫富
无论是真的家境优裕，还是想在网上吹吹牛，都不要炫富，这样做可能引起坏人的注意。

晚上 7 点见面会不会不安全?

4. 保证自己的安全
最好不要和网友见面。如果遇到非要和网友见面的情况，一定要在成年人的陪同下，在白天，并在你熟悉的公共场合见面。

5. 不要害怕威胁
如果被威胁，不要因为害怕被父母责骂就屈从于对方，一定要立刻告诉父母，请他们来解决。

呜呜呜

6. 不要做伤害别人的事情
互联网是有记忆的，威胁、谩骂、骚扰、恐吓……你的一言一行，都会在互联网的后台留下痕迹，也可能会被对方截屏保存，成为你人生的污点。

  网友只是现实中朋友的补充，不是替代。我们在与现实中的朋友互动时，会留下伴随一生的难忘回忆，这是网友很难给予的。而且，如果我们长期沉浸于网络社交，就可能丧失一些面对面沟通的能力，比如口齿清晰地表述自己的想法、通过身体语言表达自己的情绪等，而这些正是我们处理真实的社交关系，甚至是将来获得理想职业的关键能力。

聚会上……

阿晶，抱歉。我不该对你发脾气……我知道你是为了我好。

我决定先不去北京了，等我长大后有自主判断能力了再说。

你可以原谅我吗？

我也有不对的地方，当时不该说得那么过分……

我们扯平了！

你尝尝这个薯片，可好吃了！

好！